een Stapje verder

Kluitman

VOORWOORD

Bij het leren lezen is aantrekkelijk leesmateriaal erg belangrijk. De boeken uit de serie 'Lezen is leuk' zijn daar een goed voorbeeld van. Daarom zullen de kinderen deze boeken zowel thuis als op school keer op keer met veel plezier lezen.
In de opeenvolgende acht delen van deze serie kunnen de kinderen stap voor stap een hoger leesnivo bereiken.

Henk Smits
directeur Montessorischool Maarssen

Met dank aan:
Montessorischool, Maarssen
De Pinksterbloem, Amsterdam
De Blinker, Bolsward
Gysbert Japiksschool, Sneek

avi 4

Boeken met dit vignet zijn op niveaubepaling geregistreerd en gecontroleerd door KPC Groep te 's-Hertogenbosch.

Nur 287/L051131
© Uitgeverij Kluitman Alkmaar B.V.
Omslagontwerp: Nils Swart Design/Design Team Kluitman

www.kluitman.nl

de zwemles

wij gaan met pap naar de stad.
daar is een zwembad!
wij krijgen zwemles.
de juf komt eraan.
wij gaan gauw in het water.
pap kijkt naar ons.
wij zwemmen een baan
op onze buik
en dan een baan op onze rug.

in de dierentuin

rik gaat met de klas
naar de dierentuin.
in de dierentuin is het druk.
rik blijft bij juf in de buurt.
„kijk, een leeuw!" roept rik.
de leeuw slaat met zijn klauw.
rik loopt vlug verder.
dan ziet hij een slang.
„sss!" sist de slang naar rik.
„dag, slang!" zegt rik.
„ik ben niet bang voor jou!"

een kraai in de boom

kees: „wat kijk jij toch
naar die boom, lars!
waarom doe jij dat?”

lars: „er zit een kraai
in die boom.”

kees: „ja, ik zie de kraai ook.
hij zit op die tak!
maar ik zie nog meer!”

lars: „wat zie jij dan?”

kees: „ik zie ook een nest.
kijk maar!”

7

sonja past op haar broer

sonja gaat met henk naar buiten.
„ik ren naar het hek!" roept henk.
maar henk valt languit
op de grond.
hij heeft bloed aan zijn been.
„kom maar!" zegt sonja.
„huil maar niet!
ik plak er een pleister op.
dan is het snel weer over!"

het eiland

ben woont op een eiland.

het eiland is niet groot.

er is geen school op het eiland.

daarom gaat ben

met de pont naar school.

kijk, daar holt ben.

hij heeft een rugzak bij zich.

er zit brood in de rugzak.

brood voor de overblijf.

ben holt naar de pont.

het is al laat.

de pont moet weg.

de kip en de haan

de kip zit in het hok.
daar komt de haan.
„dag, kip!" zegt de haan.
„ga jij mee naar buiten?"
„nee, haan! dat kan niet!
ik zit nog op een ei.
er zit een kuiken in het ei."
krak! krak! krak!
wat is dat?
het kuiken komt uit het ei.
„dag, papa haan!
dag, mama kip!"

ans is de weg kwijt

ans gaat met mama
naar de stad.
ze gaan met de bus en de tram.
in de winkel past mama broeken.
ans moet lang wachten.
ze ziet een poes op straat.
ans rent de winkel uit.
ze loopt achter de poes aan.
waar is de winkel nu?
ans weet de weg niet meer.
kijk, daar is mama al!

11

mijn bal gaat stuk

kees en tom zijn in de tuin.
ze rennen over het gras.
„pak de bal, tom!" roept kees.
tom hapt meteen in de bal.
pfff!
nu is de bal lek.
er zitten gaten in de bal.
tom rent weg.
„waf! waf! waf!"
kees pakt de bal.
„kom eens hier, tom!"
roept hij.
maar tom hoort het niet.

linda kan niet naar binnen

linda wil niet meer fietsen.
ze loopt naar de voordeur
van haar huis.
de voordeur is dicht.
„papa!" roept linda hard.
„ik wil naar binnen!"
maar papa hoort haar niet.
papa is in de keuken.
hij doet de afwas.
linda kan niet bij de bel.
ze bonst op het raam.
papa hoort het lawaai!
hij loopt naar de voordeur
en hij maakt de deur open.

lars koopt een boek

lars leest graag boeken.
zijn boek is uit.
„mag ik een nieuw boek?"
vraagt lars.
„pak je spaarpot maar
en koop een mooi boek,"
zegt mam.
lars stapt op zijn fiets
en gaat naar de winkel.
hij kiest een leuk boek uit.

mijn band is lek

rens: „zullen we gaan fietsen?"

rob: „ja, dat is gaaf!

maar mijn band is lek!"

rens: „ik plak die band wel.

ik weet hoe dat moet.

ga je fiets maar halen."

rob: „oké, dat wil ik

wel eens zien."

een paard van klei

inge is bij oma.
dat is leuk, want oma heeft klei.
oma legt een zeil op tafel.
inge pakt de klei en zegt:
„ik ga een paard maken!”
oma pakt ook een stuk klei.
„dan ga ik een stal maken.
een stal voor jouw paard!”
„ik ben al klaar!” zegt inge.
„mijn stal is nu ook klaar,”
zegt oma.
„zet het paard maar
in mijn stal!”

in de speeltuin

jan gaat naar de speeltuin.
hij kijkt om zich heen.
wat is er veel te doen!
er zijn wippen en schommels.
er is ook een achtbaan.
jan gaat in de achtbaan.
dat gaat heel hard!

de heks en de boom

aan de rand van het bos
woont een heks.
het huis van de heks
kan niemand zien.
de heks loopt
naar een dikke boom.
ze pakt haar stok
en tikt tegen de boom.
„sim-sa-la-bim!" zegt de heks.
de boom krijgt een deur.
de heks stapt naar binnen
en dan tovert ze de deur weer weg.

poes heeft jongen

poes haar buik is dik.
ze ligt in haar mand.
„slaap lekker, poes!
ik ga nu ook naar bed."
midden in de nacht
word ik wakker.
ik hoor iets in de gang.
ik spring vlug uit bed
en ga gauw bij de poes kijken.
ik zie vier kleine poesjes.
o, wat zijn ze lief!

waar is opa?

zora: „mam, weet jij ook
        waar opa is?"

mam: „nee, zora!
        ik weet niet waar opa is.
        ga hem maar zoeken."

zora: „opa! opa! waar ben je?"

opa: „zoek mij dan, als je kan!"

zora: „wacht eens!
        ik zie de schoen van opa
        bij het raam.
        opa staat achter
        het gordijn!"

kleine carlo

carlo is mijn broertje.
mama zet carlo in de box.
dan gaat ze naar de w.c.
carlo begint te huilen.
ik ga bij carlo kijken.
„waarom huil je?
wil je jouw speen?"
ik geef carlo zijn speen.
nu lacht hij weer.

naar de winkel

mama: „wil jij voor mij
       naar de winkel, peter?
       ik heb een brood nodig
       en ook een pak melk!"

peter: „mam, kan lara
       het niet doen?"

mama: „nee, peter!
       hier heb je geld.
       ga nu maar gauw,
       dan ben je zo terug!"

peter: „oké! maar ik ga wel
       op de fiets.
       doei!"

in de auto van papa

papa werkt op de bouw.
hij heeft een grote auto.
er zit een bak op de auto.
het is een vrachtauto!
in de bak zit zand.
ik mag mee in de auto.
we rijden naar oom leo.
papa kiept het zand uit de bak.
oom leo haalt een kruiwagen.
het zand moet bij het hek.
ik duw de kruiwagen.

daan krijgt een zusje

daan gaat met papa mee
naar het ziekenhuis.
„waar ligt mama?" roept daan.
papa wijst naar een deur.
daan doet de deur open.
„dag, daan!" roept mama blij.
„wat fijn dat je er bent.
nu kun je je nieuwe zusje zien."
daan kijkt in de wieg.
„dag, lieve karlijn," zegt daan.
„jij komt straks bij ons wonen!"

24

ik vlieg naar mijn oom

ik heb een oom.
hij woont in een ver land.
ik ga met mijn moeder
naar mijn oom toe.
we gaan met een groot vliegtuig.
het vliegtuig gaat heel hoog.
ik kijk uit het raam naar buiten.
alles is heel klein.
nu gaat het vliegtuig landen
en ik stap uit.
daar staat mijn oom al.
hij zegt: „hello, boy!"

de brief

in de boom woont pom.
hij is een kabouter.
daar komt de heks.
„kijk eens, pom,
ik heb een brief voor jou.
een brief van pam."
pom leest de brief.
zijn ogen worden groot.
„oei, pam is ziek!
ik moet gauw naar pam toe."

pom gaat naar pam

pom zit op de rug van de uil.
ze vliegen naar
het huis van pam.
daar is het huis al.
de uil zet pom op de grond.
pom gaat naar binnen.
pam ligt op de bank.
„pam! ik ben er, hoor!
ik kom voor jou zorgen."

ik ben de kok

vandaag ben ik thuis de kok.
kijk maar eens hoe ik dat doe!
ik doe meel en een ei
in een kom.
ik giet er wat melk bij.
nu moet ik goed roeren.
dan maak ik de pan heet.
ik doe een klont boter in de pan.
sss! sss! sss! de boter smelt.
wat ben ik aan het bakken?

tim eet een loempia

tim mag bij lie eten.
lie komt uit een ander land.
de moeder van lie
zet een schaal op tafel.
„kijk eens!
ik heb een loempia voor jou!"
tim kijkt naar de loempia.
de moeder van lie lacht.
„eet maar op, hoor!
een loempia is goed voor jou!"
tim neemt een hap
van de loempia.
„mmm! dat smaakt lekker."

op reis

hoi, wij gaan op reis.
we gaan met de auto
naar een ander land.
mam stapt in de auto
en daar gaan we!!!
we zijn heel lang onderweg.
dan zijn we er.
het is warm in dit land.
we helpen pap en mam
met de tent.
nu gaan we fijn naar de zee!
we zeggen:
„olé! hasta la vista!"